すてきな ひらがな
Fun with Hiragana

五味太郎
GOMI TARO

すてきな
ひらがな

[SUTEKINA HIRAGANA]

Fun with Hiragana
ファン ウィズ ヒラガナ

KODANSHA INTERNATIONAL
Tokyo · New York · London

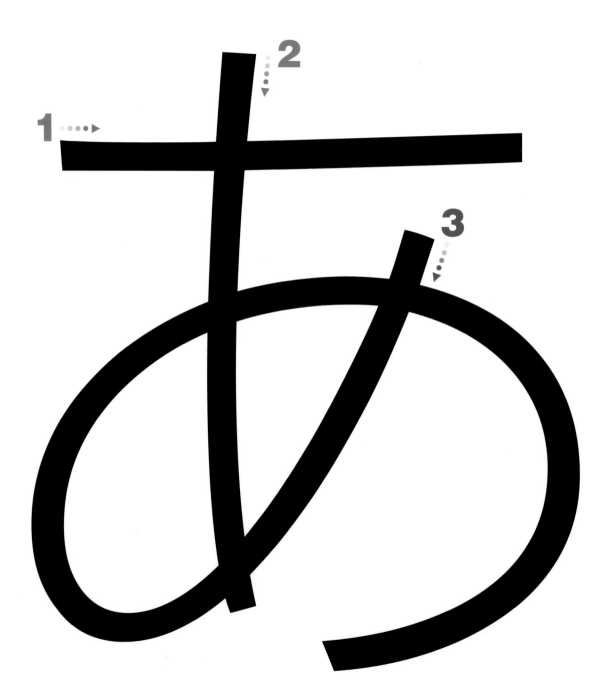

4

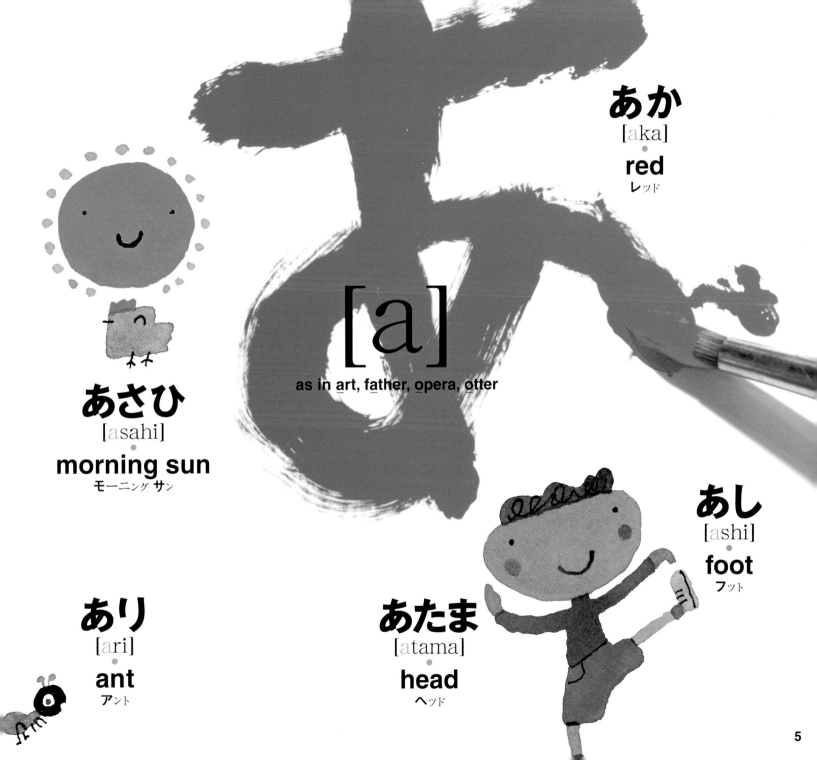

あか
[aka]
red
レッド

あさひ
[asahi]
morning sun
モーニング サン

[a]
as in art, father, opera, otter

あし
[ashi]
foot
フット

あたま
[atama]
head
ヘッド

あり
[ari]
ant
アント

5

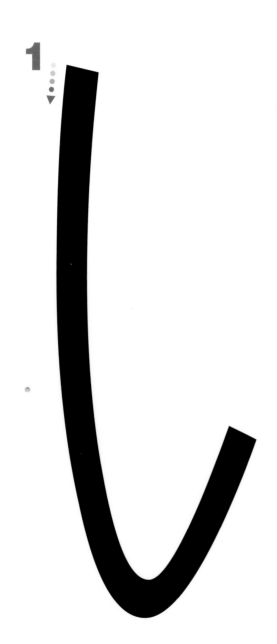

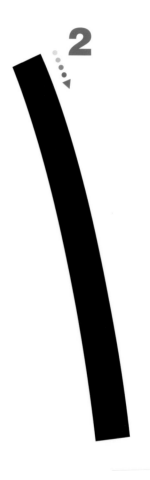

いす
[isu]
•
chair
チェア

いぬ
[inu]
•
dog
ド(ー)ッグ

いた
[ita]
•
board
ボード

[i]

as in field, tree, sea eel, wheel

いも
[imo]
•
potato
ポテイトウ

いえ
[ie]
•
house
ハウス

7

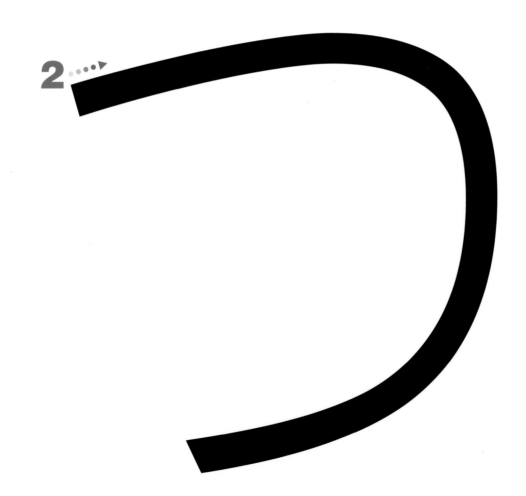

うさぎ
[usagi]
・
rabbit
ラビット

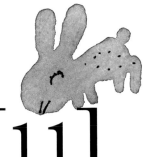

うま
[uma]
・
horse
ホース

うき
[uki]
・
float
フ**ロ**ウト

[u]

as in t<u>u</u>ne, d<u>u</u>ne, mons<u>oo</u>n

うた
[uta]
・
song
ソ（ー）ング

うみ
[umi]
・
ocean
オ**ウシャ**ン

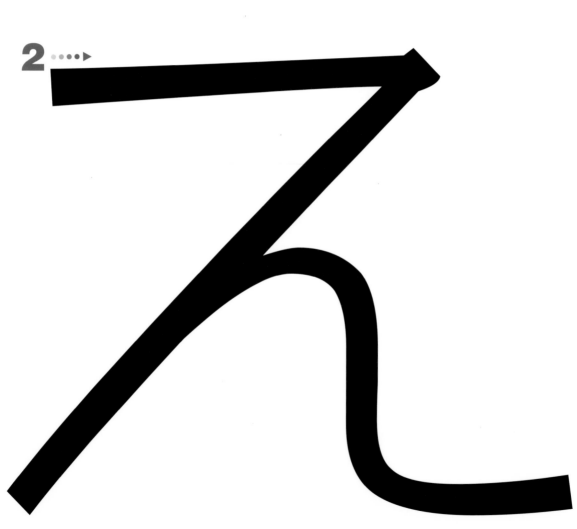

えんぴつ
[enpitsu]
•
pencil
ペンスル

えりまき
[erimaki]
•
scarf
スカーフ

えほん
[ehon]
•
picture book
ピクチャ ブック

[e]
as in <u>e</u>gg, b<u>e</u>d, r<u>e</u>d, h<u>e</u>ad, sl<u>e</u>d

えだ
[eda]
•
branch
ブランチ

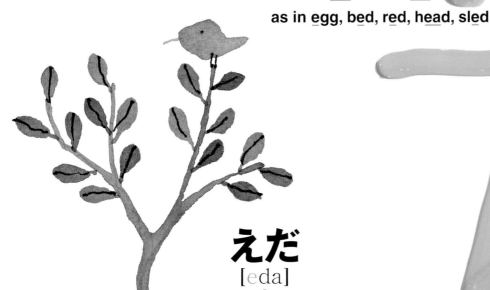

えのぐ
[enogu]
•
paint
ペイント

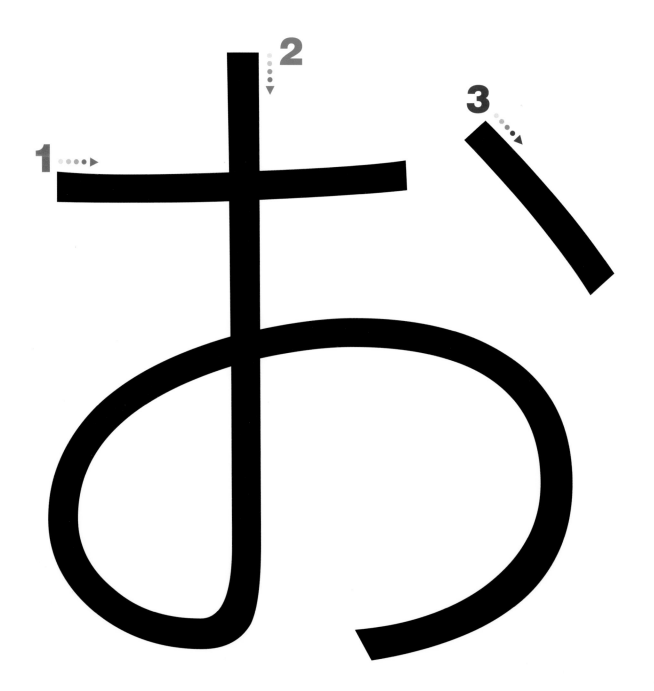

おとこ
[otoko]

male
メイル

おんな
[onna]

female
フィーメイル

[o]

as in <u>o</u>h, <u>o</u>gre, <u>o</u>ak, d<u>o</u>ughnut

おりがみ
[origami]

origami
オリガミ

おに
[oni]

demon
ディーマン

おんどり
[ondori]

rooster
ルースタァ

お
[o]

tail
テイル

13

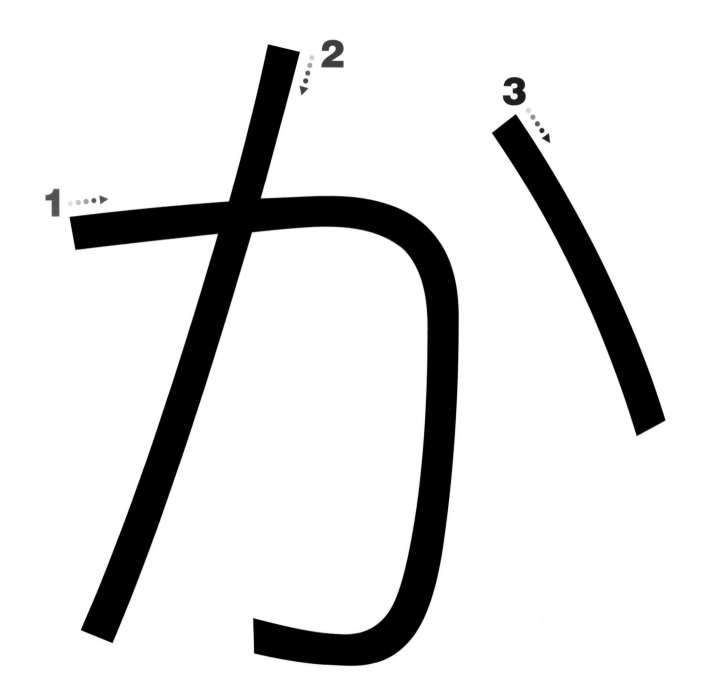

かに
[kani]

crab
クラブ

からす
[karasu]

crow
クロウ

かぜ
[kaze]

wind
ウィンド

[ka]

as in <u>co</u>tton, <u>ca</u>r, <u>co</u>mic,
<u>co</u>ckroach, <u>ka</u>kapo

かさ
[kasa]

umbrella
アンブレラ

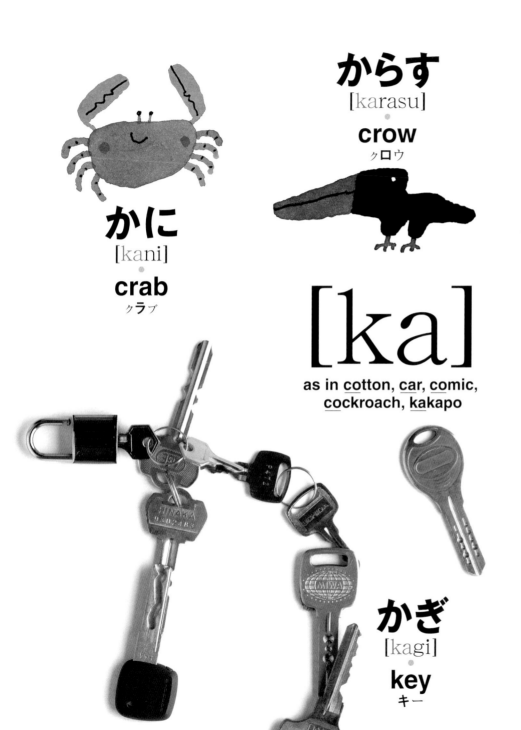

かぎ
[kagi]

key
キー

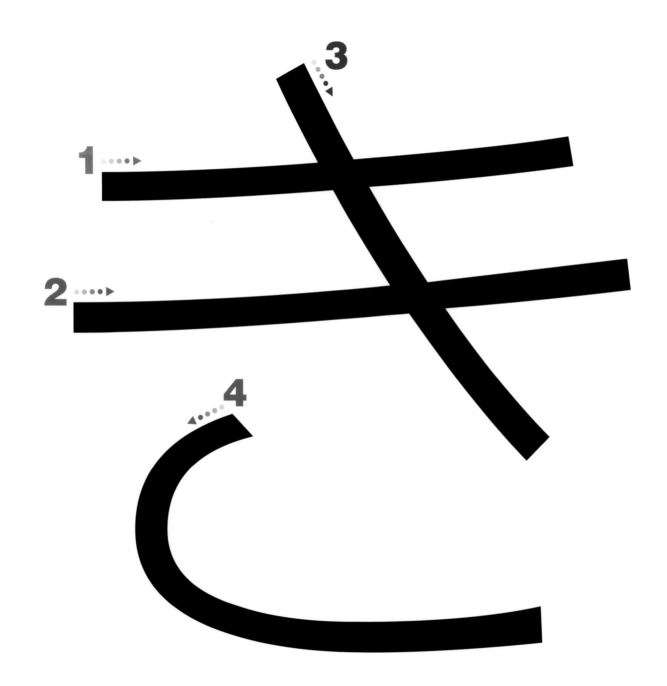

きつね
[kitsune]

fox
ファックス

きしゃ
[kisha]

train
トレイン

きゅうり
[kyūri]

cucumber
キューカンバァ

[ki]
as in key, keep, kiwi

きた
[kita]

north
ノース

きいろ
[kiiro]

yellow
イェロウ

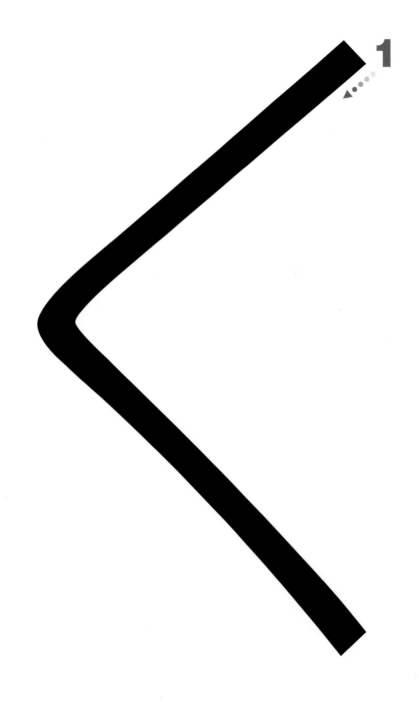

1

くび
[kubi]
neck
ネック

くち
[kuchi]
mouth
マウス

くぎ
[kugi]
nail
ネイル

くり
[kuri]
chestnut
チェスナット

[ku]

as in <u>cou</u>gar, <u>coo</u>l, <u>koo</u>kaburra

くま
[kuma]
bear
ベア

くろ
[kuro]
black
ブラック

くつ
[kutsu]
shoes
シューズ

19

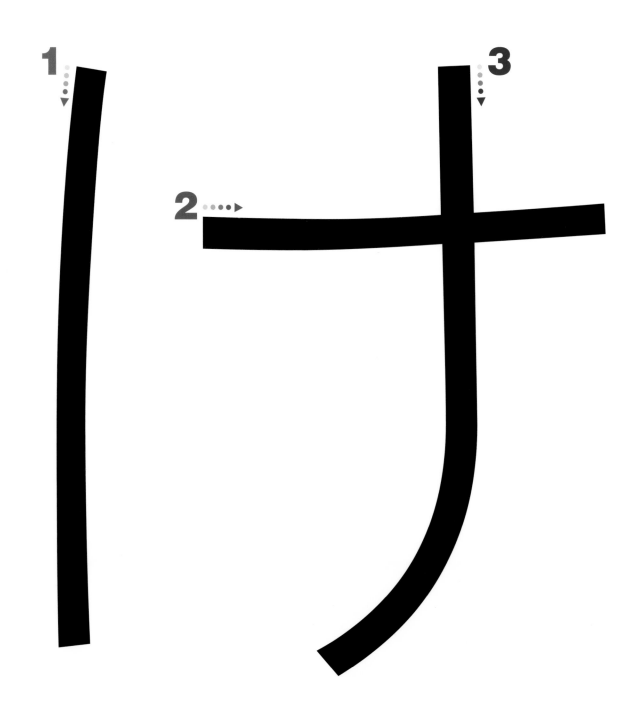

けむし
[kemushi]

caterpillar
キャタピラァ

けいと
[keito]

yarn
ヤーン

[ke]
as in ketchup, kettle, kennel, chemistry

けいさつ
[keisatsu]

police
ポリース

けんか
[kenka]

fight
ファイト

けが
[kega]

injury
インヂャリィ

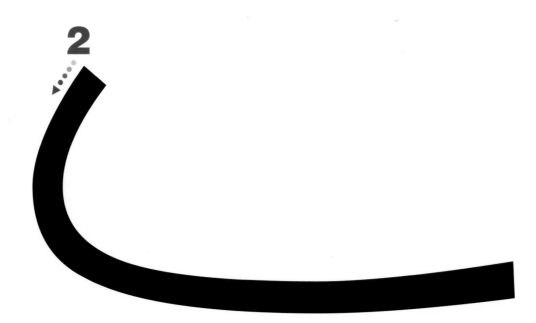

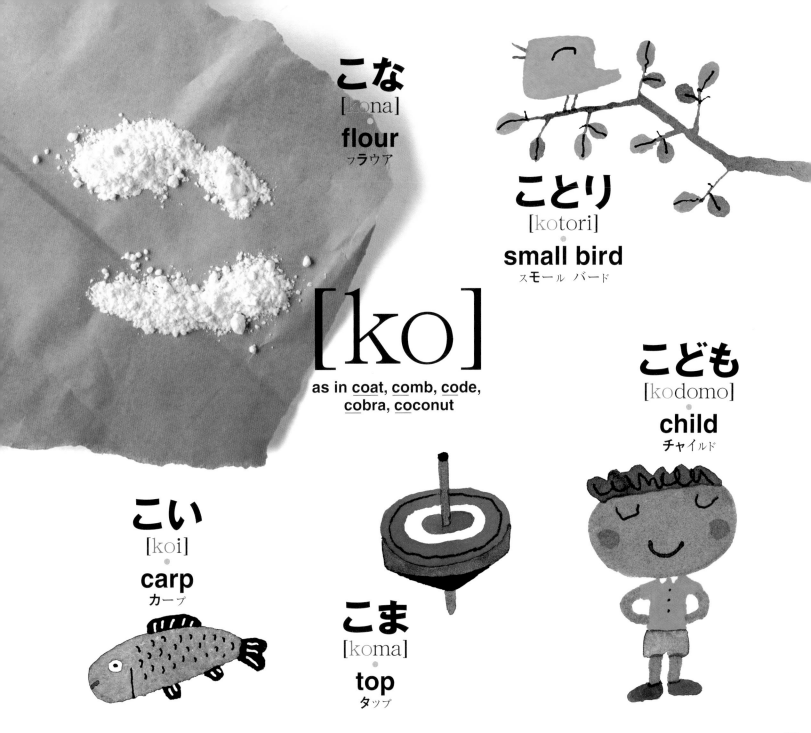

こな
[kona]

flour
フラウア

ことり
[kotori]

small bird
スモール バード

[ko]

as in coat, comb, code,
cobra, coconut

こども
[kodomo]

child
チャイルド

こい
[koi]

carp
カープ

こま
[koma]

top
タップ

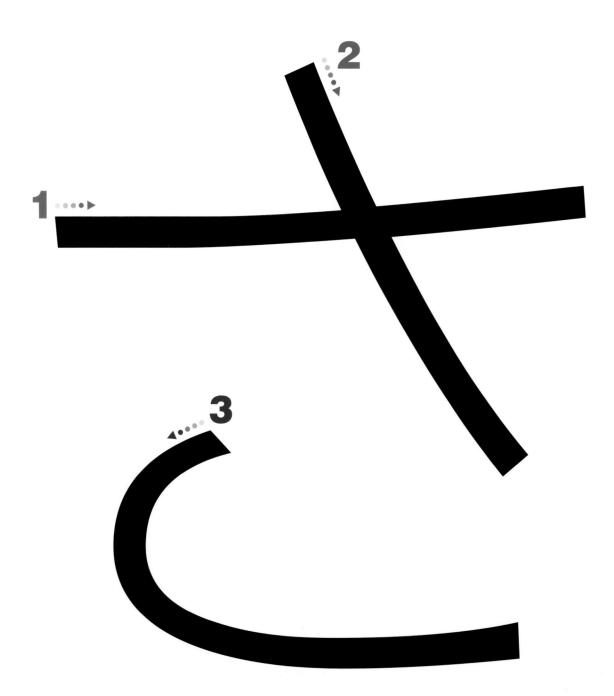

さる
[saru]

monkey
マンキィ

さくら
[sakura]

cherry blossom
チェリィ ブラサム

[sa]

as in <u>sa</u>rdine, <u>so</u>ck, <u>so</u>ccer

さじ
[saji]

spoon
スプーン

さめ
[same]

shark
シャーク

さか
[saka]

slope
スロウプ

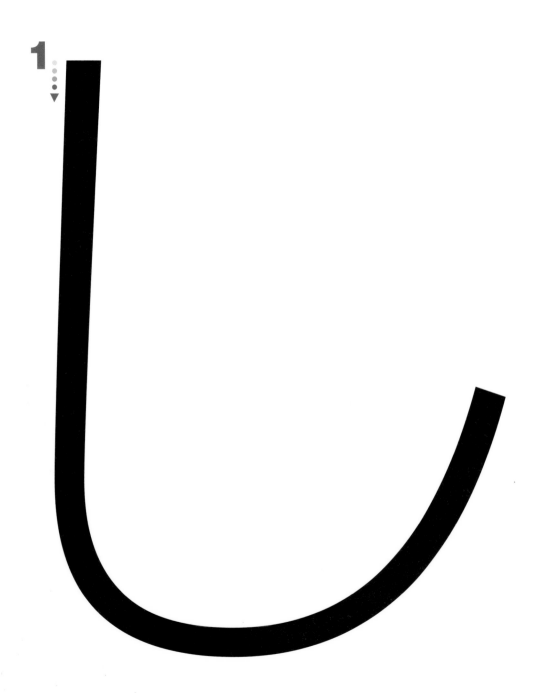

しろ
[shiro]

white
フ**ワイト**

しま
[shima]

stripes
スト**ライプス**

しかく
[shikaku]

square
スク**ウェア**

[shi]

as in <u>sh</u>e, <u>sh</u>ield, <u>sh</u>eep, ma<u>ch</u>ine

しんごう
[shingō]

signal
ス**イグナル**

した
[shita]

tongue
タング

しお
[shio]

salt
ソ**ールト**

しか
[shika]

deer
ディア

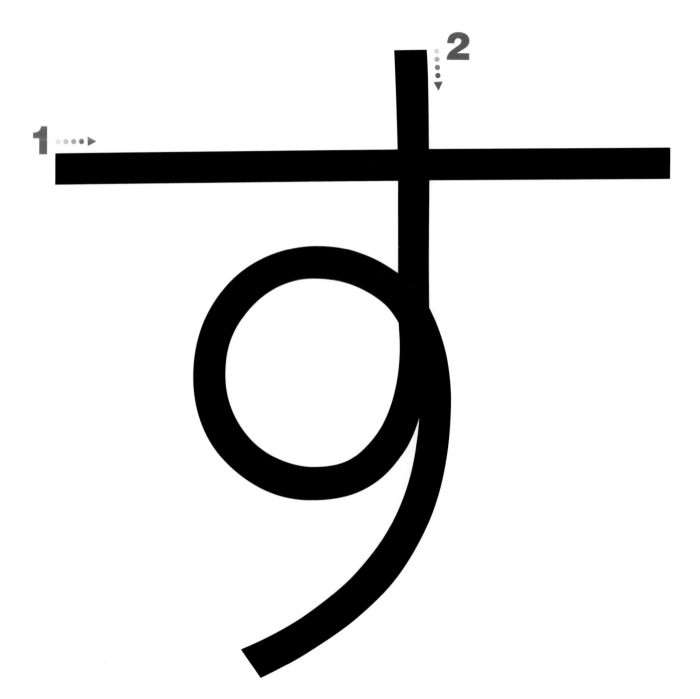

すな
[suna]
·
sand
サンド

すべりだい
[suberidai]
·
slide
スライド

[su]
as in <u>su</u>per, <u>su</u>it, <u>sou</u>p, <u>soo</u>n

すぎ
[sugi]
·
cedar
スィーダァ

すうじ
[sūji]
·
number
ナンバァ

すいか
[suika]
·
watermelon
ウォータメロン

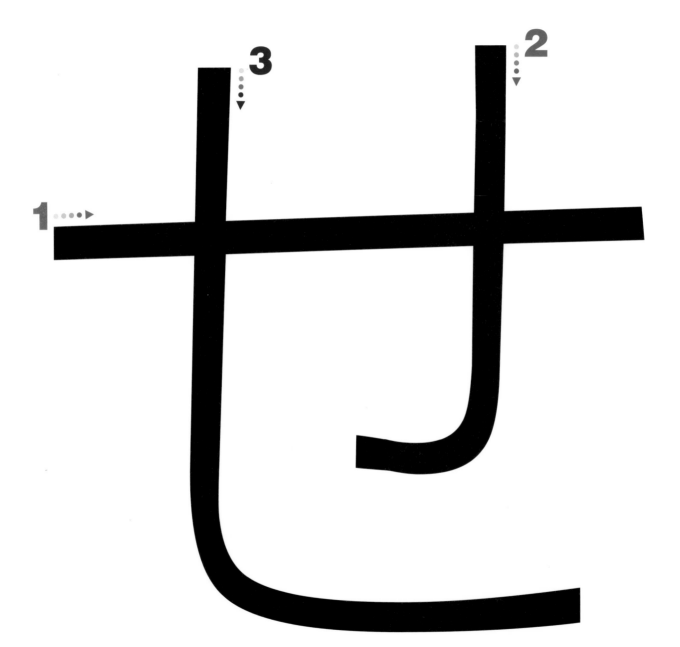

せんたくばさみ
[sentakubasami]

clothespin
クロウズピン

せなか
[senaka]

back
バック

[se]
as in <u>se</u>cond, <u>se</u>t, <u>se</u>ven,
<u>se</u>same, <u>se</u>ntence

せん
[sen]

cork
コーク

せみ
[semi]

cicada
スィ**ケイ**ダ

せんたくき
[sentakuki]

washing machine
ワシング マシーン

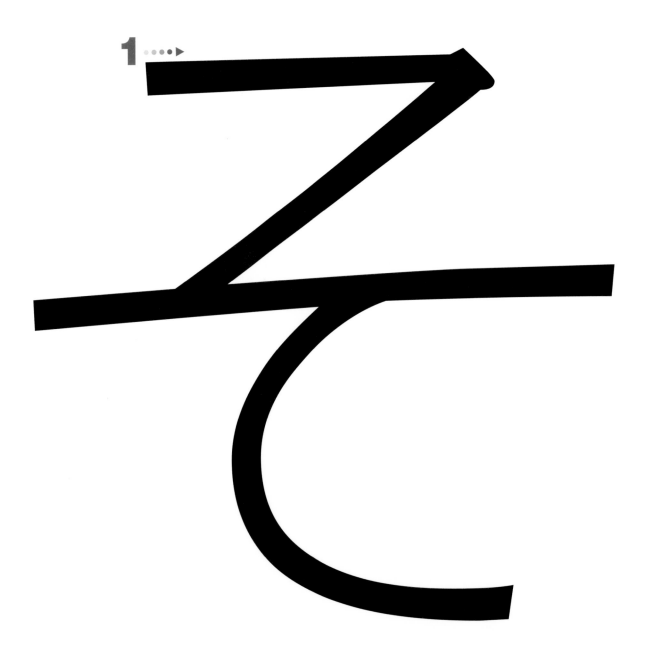

そら
[sora]
•
sky
スカイ

そで
[sode]
•
sleeves
スリーヴズ

そと
[soto]
•
outside
アウトサイド

[so]

as in so-so, sofa, soda,
soldier, soul, soap

そうじき
[sojiki]
•
vacuum cleaner
ヴァキュアム クリーナァ

そば
[soba]
•
soba
ソバ

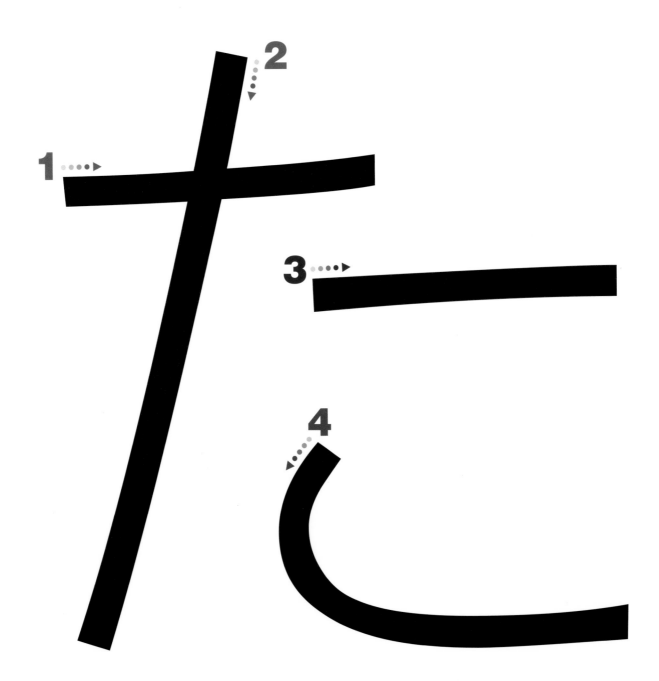

たけ
[take]
bamboo
バンブー

たか
[taka]
hawk
ホーク

[ta]
as in taco, top, tomcat, toddler, tar

たこ
[tako]
octopus
アクトパス

たいこ
[taiko]
drum
ドラム

たまご
[tamago]
egg
エッグ

たこ
[tako]
kite
カイト

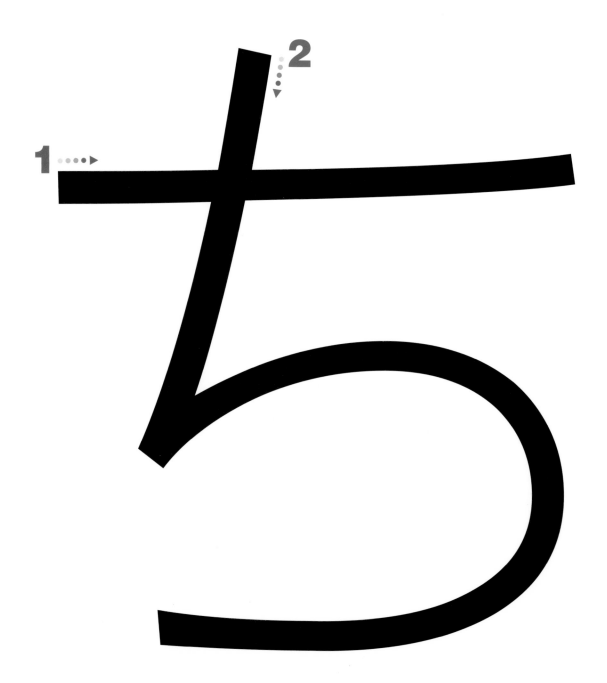

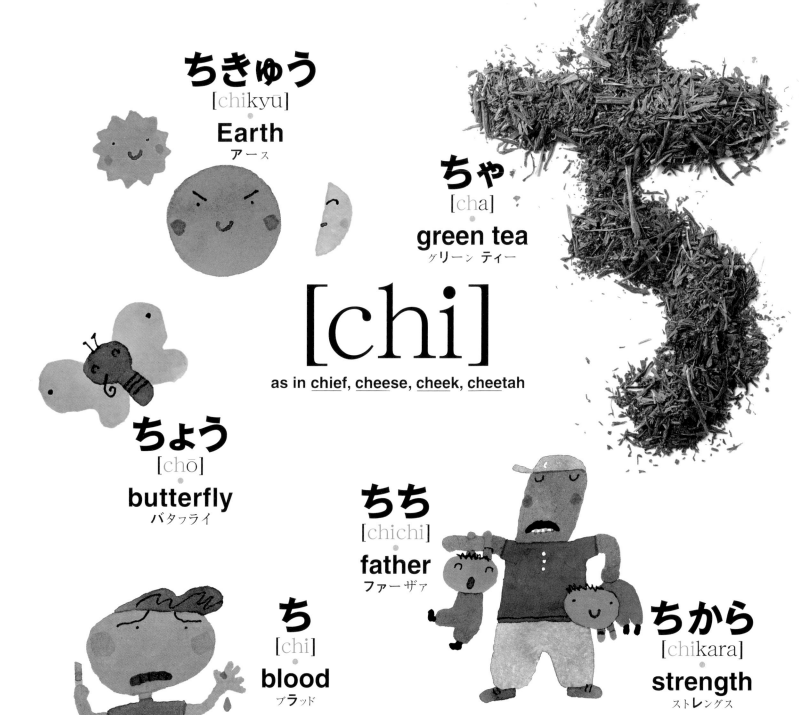

ちきゅう
[chikyū]

Earth
アース

ちゃ
[cha]

green tea
グリーン ティー

[chi]

as in <u>chi</u>ef, <u>chee</u>se, <u>chee</u>k, <u>chee</u>tah

ちょう
[chō]

butterfly
バタフライ

ちち
[chichi]

father
ファーザァ

ち
[chi]

blood
ブラッド

ちから
[chikara]

strength
ストレングス

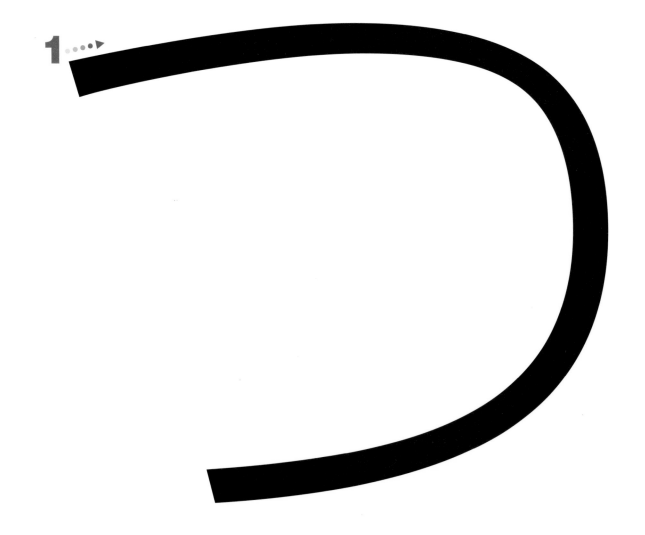

1 ....▶

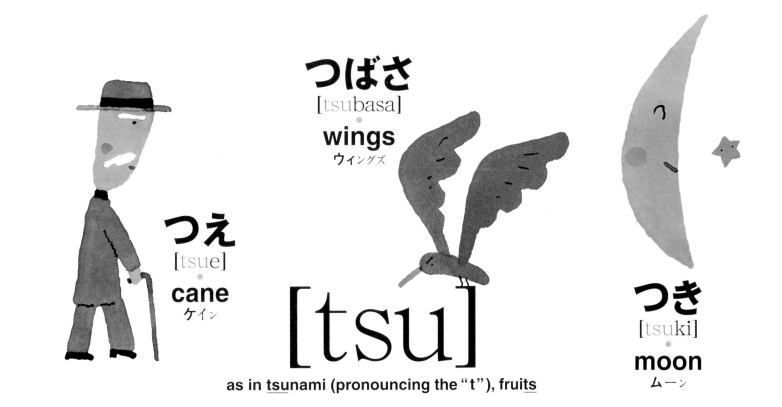

つばさ
[tsubasa]
wings
ウィングズ

つえ
[tsue]
cane
ケイン

つき
[tsuki]
moon
ムーン

[tsu]

as in tsunami (pronouncing the "t"), fruits

つち
[tsuchi]
soil
ソイル

つくえ
[tsukue]
desk
デスク

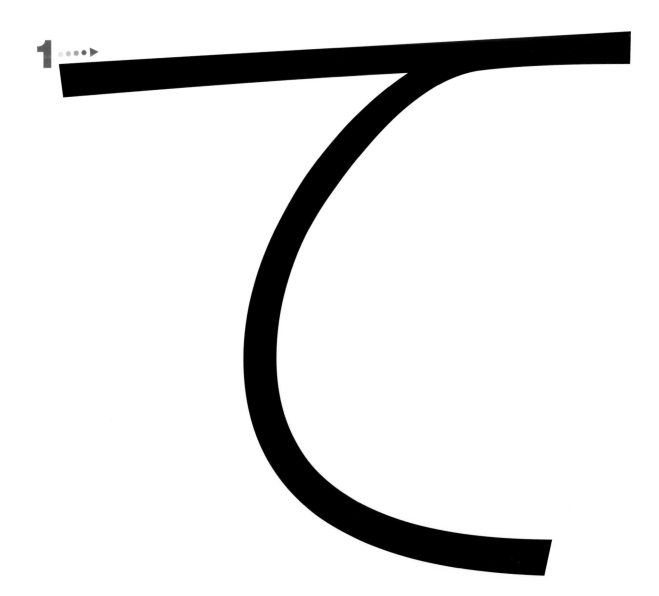

てんき
[tenki]

weather
ウェザァ

てじな
[tejina]

magic
マヂック

てんとうむし
[tentōmushi]

ladybug
レイディバッグ

[te]
as in <u>te</u>st, <u>te</u>lephone, <u>te</u>ddy bear

てぶくろ
[tebukuro]

glove
グラヴ

て
[te]

hand
ハンド

てぬぐい
[tenugui]

Japanese towel
ヂャパニーズ タウエル

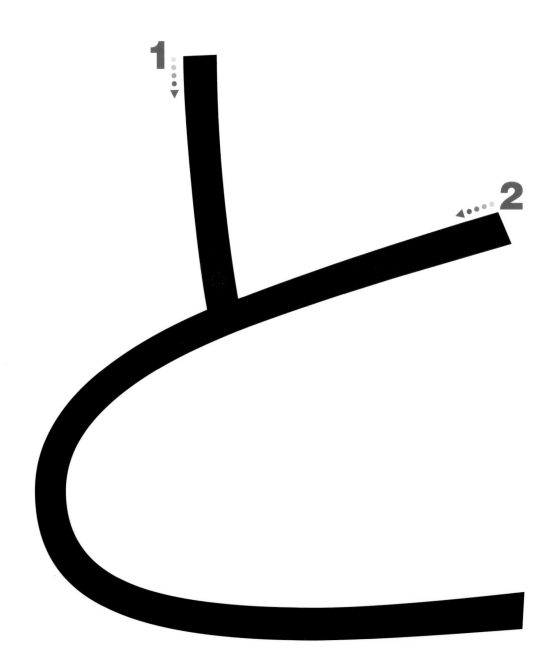

とけい
[tokei]

clock
クラック

とうがらし
[tōgarashi]

red pepper
レッド ペパァ

とう
[tō]

tower
タウア

[to]

as in <u>to</u>e, tomat<u>o</u>, <u>to</u>tal,
<u>to</u>ast, <u>to</u>ken, potat<u>o</u>

とまと
[tomato]

tomato
トメイトウ

とかげ
[tokage]

lizard
リザド

43

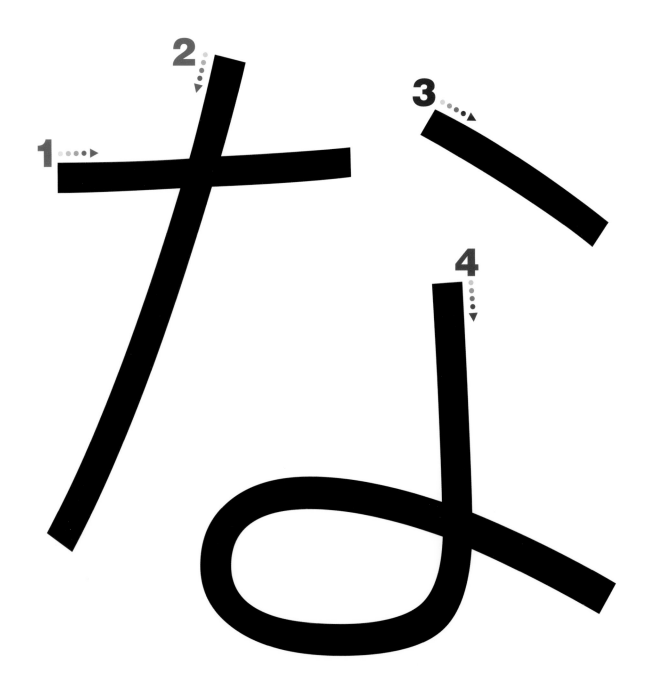

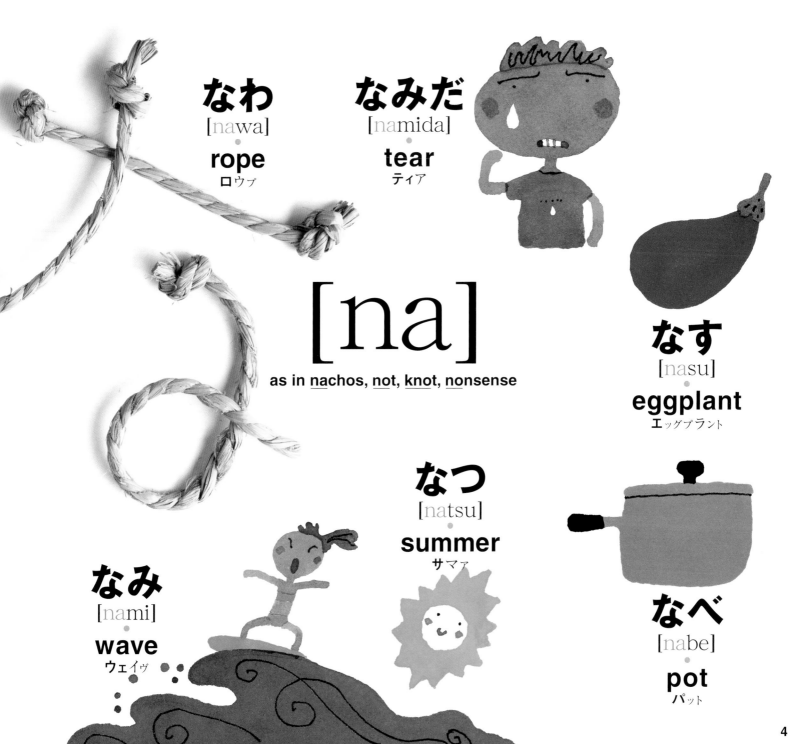

なわ
[nawa]
rope
ロウプ

なみだ
[namida]
tear
ティア

[na]
as in <u>na</u>chos, <u>n</u>ot, <u>kn</u>ot, <u>n</u>onsense

なす
[nasu]
eggplant
エッグプラント

なつ
[natsu]
summer
サマァ

なみ
[nami]
wave
ウェイヴ

なべ
[nabe]
pot
パット

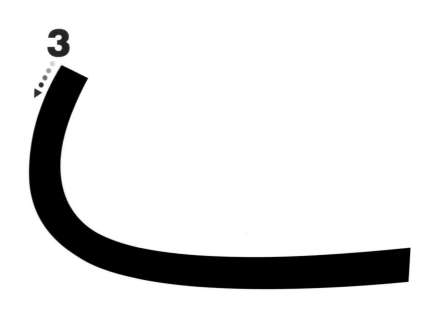

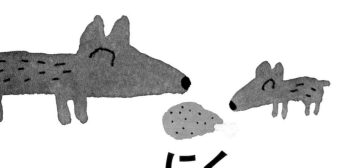

にく
[niku]

meat
ミート

にんじん
[ninjin]

carrot
キャロット

[ni]

as in <u>n</u>ee<u>ni</u>dle, <u>n</u>eat, k<u>n</u>ee, <u>n</u>iece, <u>n</u>eon

にもつ
[nimotsu]

luggage
ラゲッヂ

にし
[nishi]

west
ウエスト

にじ
[niji]

rainbow
レインボウ

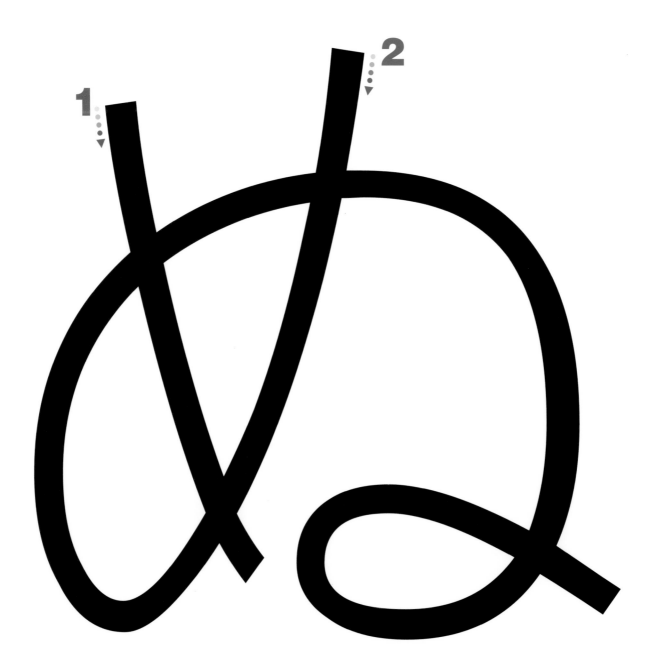

ぬいぐるみ
[nuigurumi]

stuffed toy
スタッフド トイ

ぬけがら
[nukegara]

cicada shell
スィ**ケ**イダ シエル

[nu]
as in <u>noon</u>, <u>noodle</u>

ぬりえ
[nurie]

coloring
カラリング

ぬかるみ
[nukarumi]

mud
マッド

ぬの
[nuno]

cloth
クロース

49

ねずみ
[nezumi]
・
mouse
マウス

ねこ
[neko]
・
cat
キャット

ね
[ne]
・
root
ルート

[ne]

as in <u>n</u>ever, <u>n</u>eck, <u>n</u>et, <u>n</u>est, con<u>n</u>ect

ねじ
[neji]
・
bolt
ボウルト

ねつ
[netsu]
・
fever
フィーヴァ

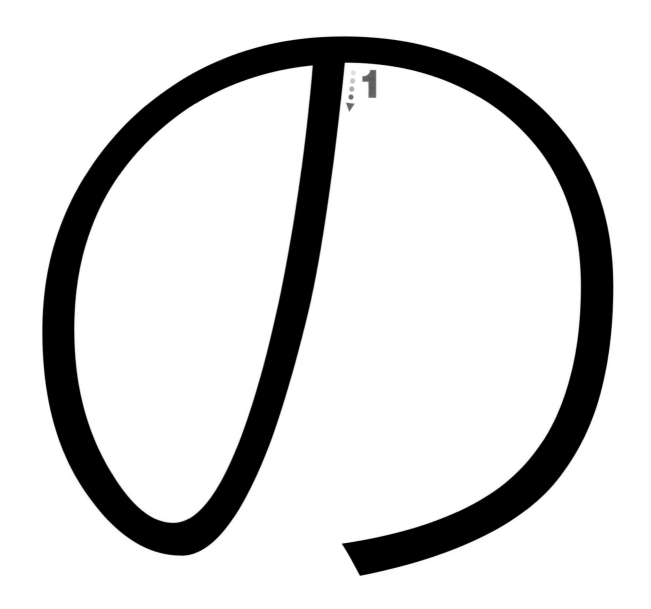

のこぎり
[nokogiri]

saw
ソー

のう
[no]

brain
ブレイン

[no]

as in <u>no</u>, <u>no</u>se, <u>no</u>te, <u>no</u>tice

のりまき
[norimaki]

sushi roll
スシ ロウル

のうふ
[nofu]

farmer
ファーマァ

のはら
[nohara]

field
フィールド

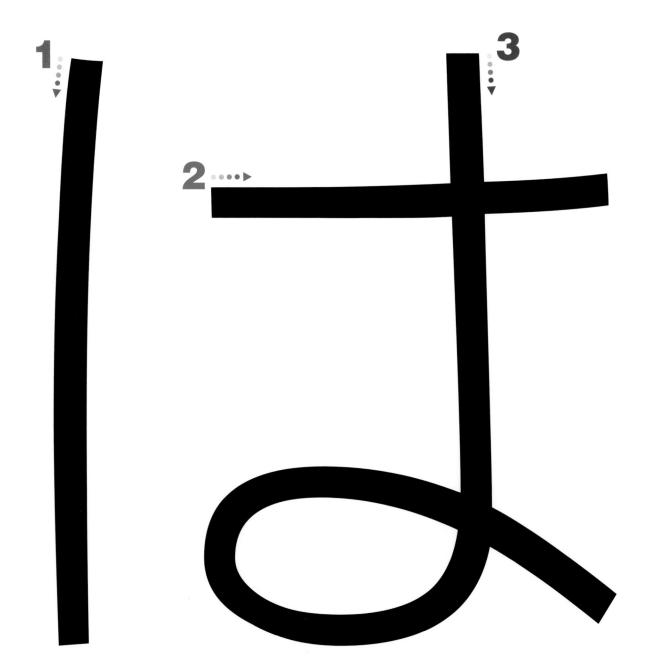

はち
[hachi]

bee
ビー

はりがね
[harigane]

wire
ワイア

[ha]

as in a<u>ha</u>, <u>hea</u>rt, <u>har</u>vest, <u>har</u>p

はな
[hana]

flower
フラウア

は
[ha]

leaf
リーフ

はな
[hana]

nose
ノウズ

は
[ha]

teeth
ティース

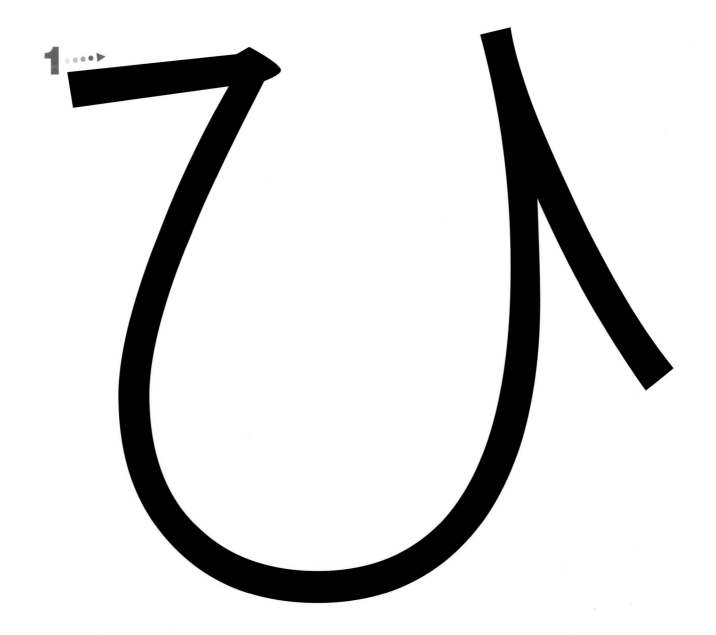

ひがし
[higashi]

east
イースト

ひかげ
[hikage]

shade
シェイド

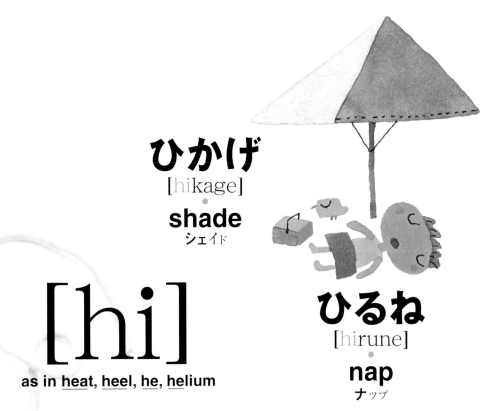

ひるね
[hirune]

nap
ナップ

[hi]

as in <u>hea</u>t, <u>hee</u>l, <u>he</u>, <u>he</u>lium

ひも
[himo]

string
ストリング

ひこうき
[hikōki]

airplane
エアプレイン

ひ
[hi]

fire
ファイア

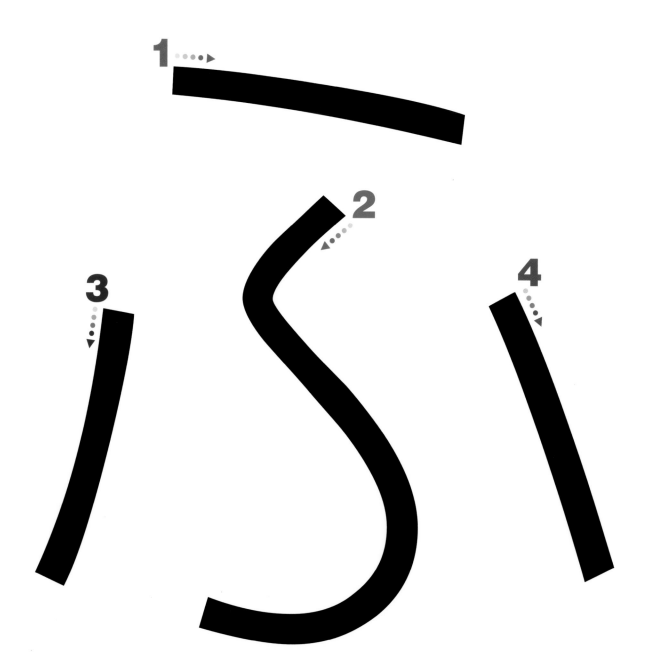

ふくろ
[fukuro]
bag
バッグ

ふくろう
[fukurō]
owl
アウル

[fu]
closer to [hu] as in <u>hoot</u>,
<u>hula hoop</u>, <u>who</u>

ふく
[fuku]
clothes
クロウズ

ふね
[fune]
ship
シップ

ふで
[fude]
brush
ブラッシュ

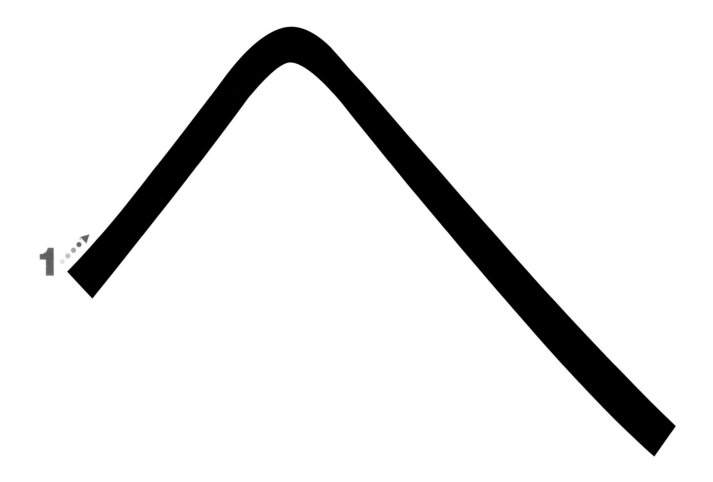

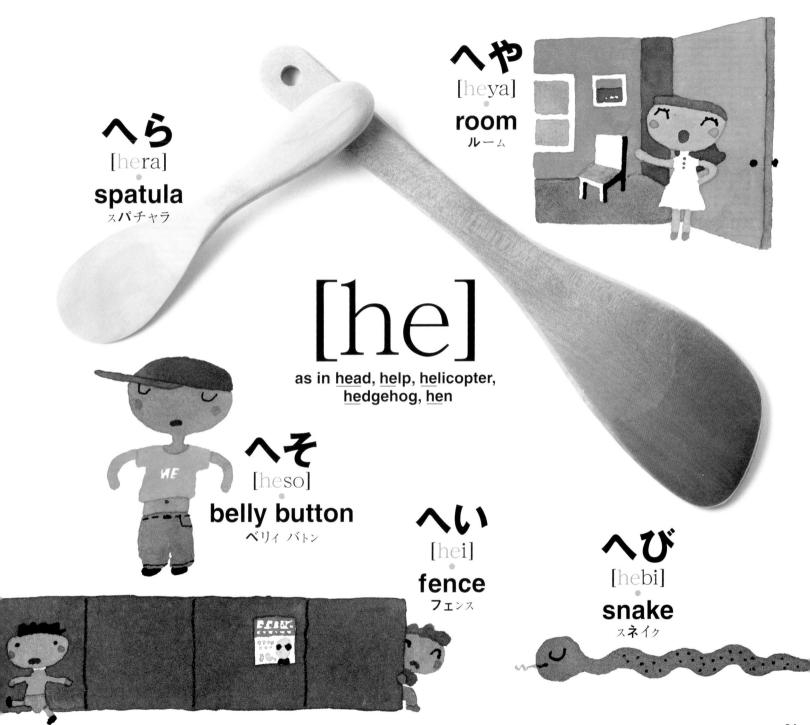

へら
[hera]
spatula
スパチャラ

へや
[heya]
room
ルーム

[he]

as in <u>he</u>ad, <u>he</u>lp, <u>he</u>licopter,
<u>he</u>dgehog, <u>he</u>n

へそ
[heso]
belly button
ベリィ バトン

へい
[hei]
fence
フェンス

へび
[hebi]
snake
スネイク

61

ほん
[hon]

book
ブック

[ho]
as in <u>ho</u>pe, <u>ho</u>tel, <u>ho</u>me, <u>ho</u>le, <u>ho</u>st

ほしぶどう
[hoshibudō]

raisins
レイズンズ

ほし
[hoshi]

star
スター

ほたる
[hotaru]

firefly
ファイアフライ

ほね
[hone]

bone
ボウン

63

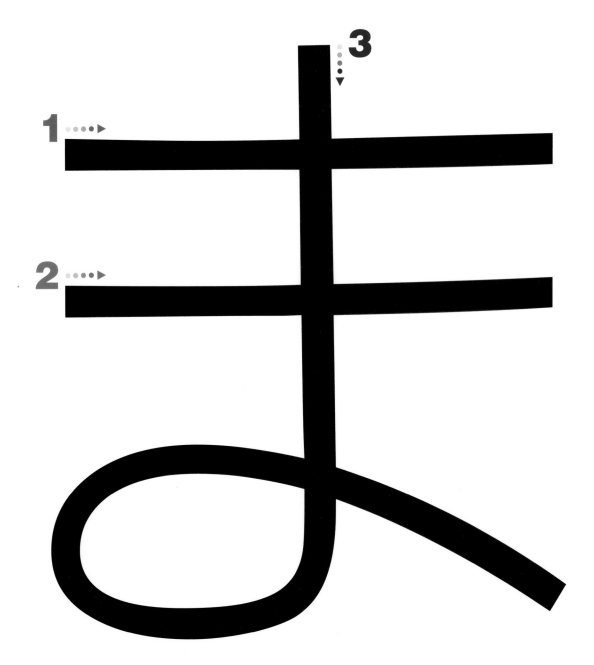

まほうつかい
[mahōtsukai]

witch
ウィッチ

まめ
[mame]

peas
ピーズ

[ma]
as in <u>m</u>ark, <u>m</u>arble, <u>m</u>om,
<u>m</u>onster, <u>m</u>op, <u>mo</u>del

まく
[maku]

curtain
カートン

まり
[mari]

ball
ボール

まえかけ
[maekake]

apron
エイプロン

65

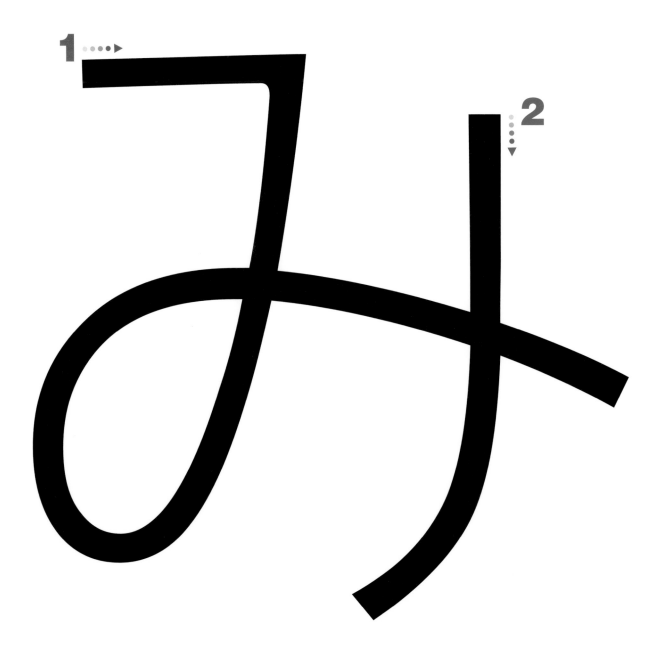

みどり
[midori]
green
グリーン

みなみ
[minami]
south
サウス

[mi]
as in <u>me</u>, <u>me</u>dium, <u>me</u>aning,
<u>me</u>al, <u>me</u>at

みみ
[mimi]
ears
イアズ

みせ
[mise]
shop
シャップ

みち
[michi]
street
ストリート

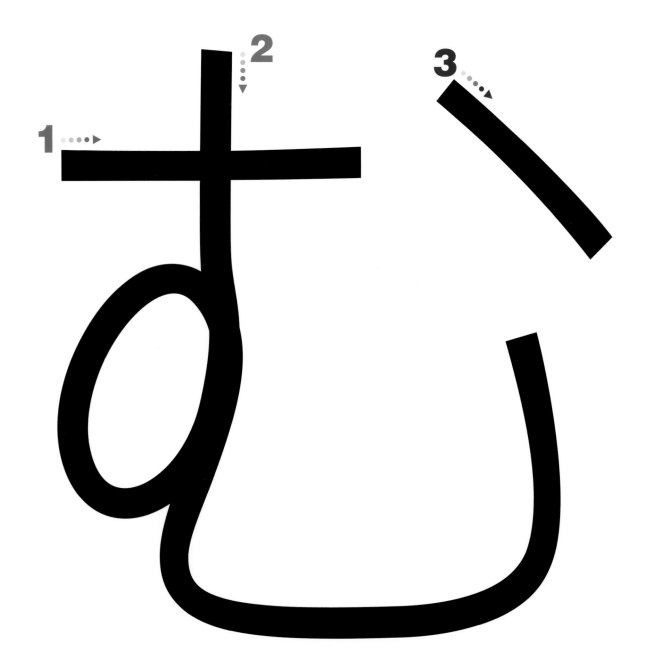

むし
[mushi]

bug
バッグ

むらさき
[murasaki]

purple
パープル

むすびめ
[musubime]

knot
ナット

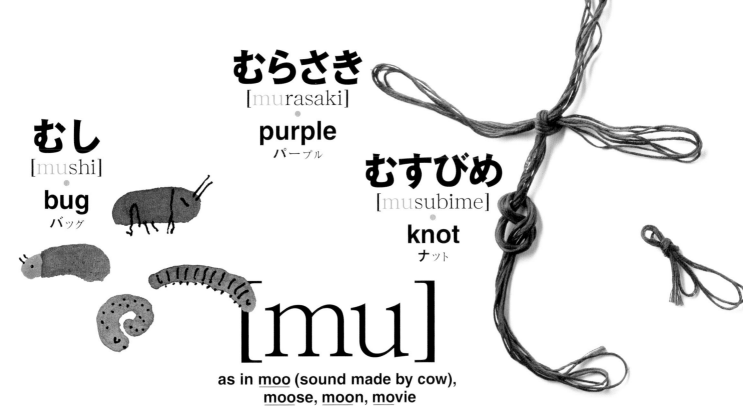

[mu]

as in <u>moo</u> (sound made by cow),
<u>moo</u>se, <u>moo</u>n, <u>mo</u>vie

むしば
[mushiba]

cavity
キャヴィティ

むぎ
[mugi]

wheat
(フ)**ウィート**

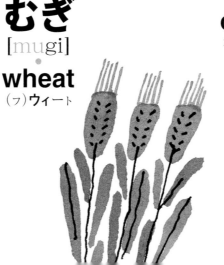

むかしばなし
[mukashi-banashi]

old tale
オウルド テイル

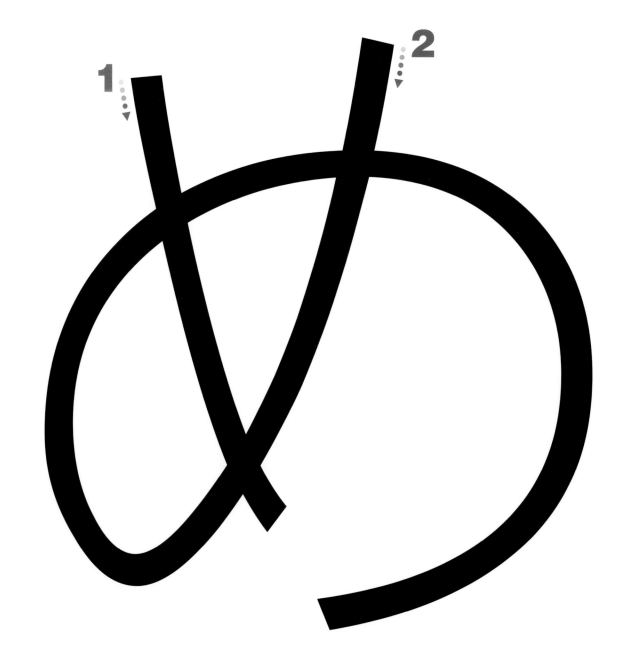

めん
[men]

mask
マスク

めがね
[megane]

glasses
グラスイズ

め
[me]

eyes
アイズ

[me]

as in <u>me</u>dicine, <u>me</u>lon,
<u>me</u>lody, <u>mea</u>dow,
<u>me</u>mory, <u>me</u>nu

めんどり
[mendori]

hen
ヘン

めだまやき
[medamayaki]

fried eggs
フライド エッグズ
(sunny-side up)
（サニサイド アップ）

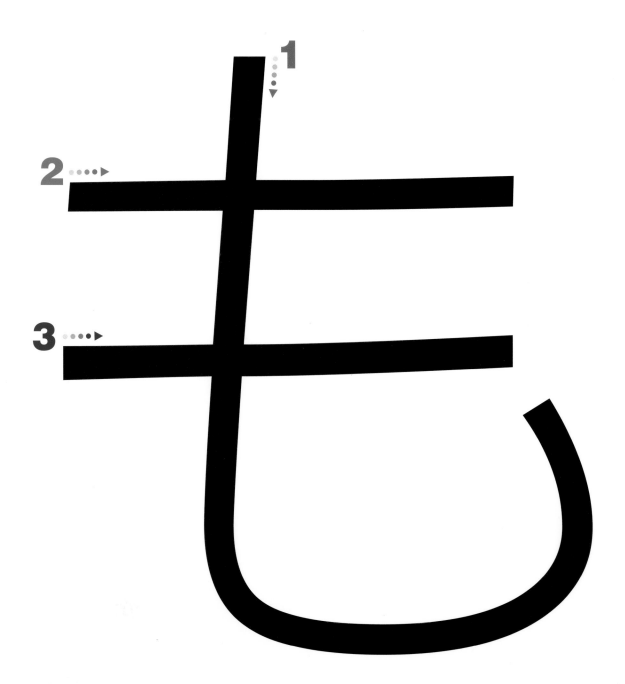

もくば
[mokuba]
rocking horse
ラキング ホース

も
[mo]
seaweed
スィーウイード

[mo]
as in <u>mo</u>re, <u>mo</u>ment, <u>mo</u>le, <u>mo</u>tel

もうふ
[mōfu]
blanket
ブランケット

ものさし
[monosashi]
measure
メジャ

もぐら
[mogura]
mole
モウル

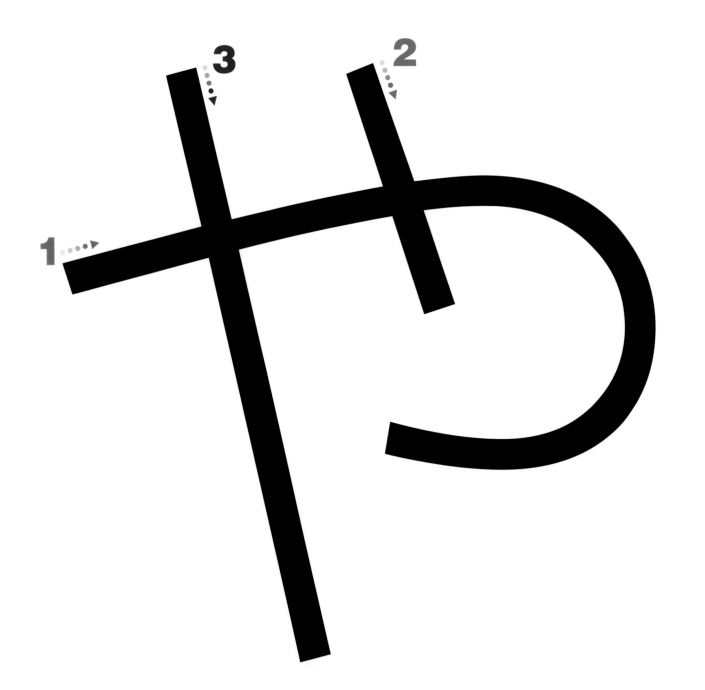

やぎ
[yagi]

goat
ゴウト

やさい
[yasai]

vegetables
ヴェヂタブルズ

[ya]
as in <u>y</u>acht, <u>y</u>arn, <u>y</u>ard

やま
[yama]

mountain
マウンテン

やきゅう
[yakyū]

baseball
ベイスボール

やかん
[yakan]

kettle
ケトル

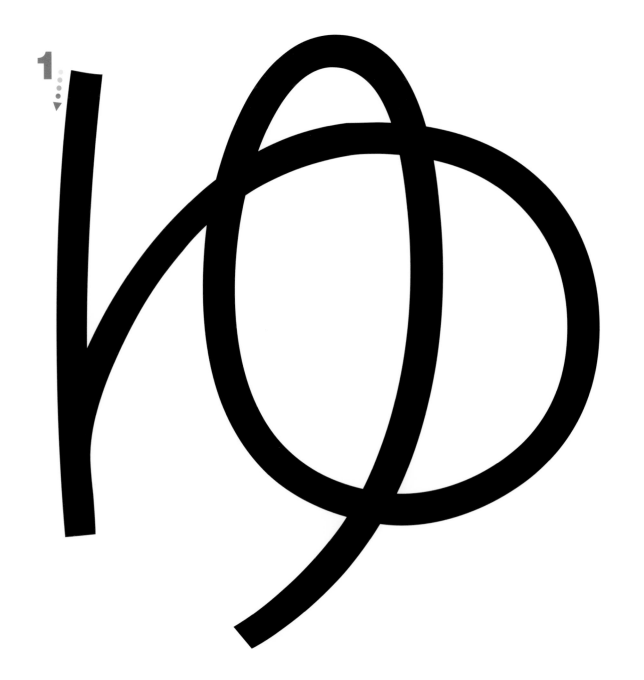

ゆりかご
[yurikago]

cradle
クレイドル

ゆうびんやさん
[yūbin'ya-san]

mailman
メイルマン

[yu]
as in you, UFO, ukulele

ゆき
[yuki]

snow
スノウ

ゆめ
[yume]

dream
ドリーム

ゆびにんぎょう
[yubi-ningyō]

finger puppet
フィンガァ パペット

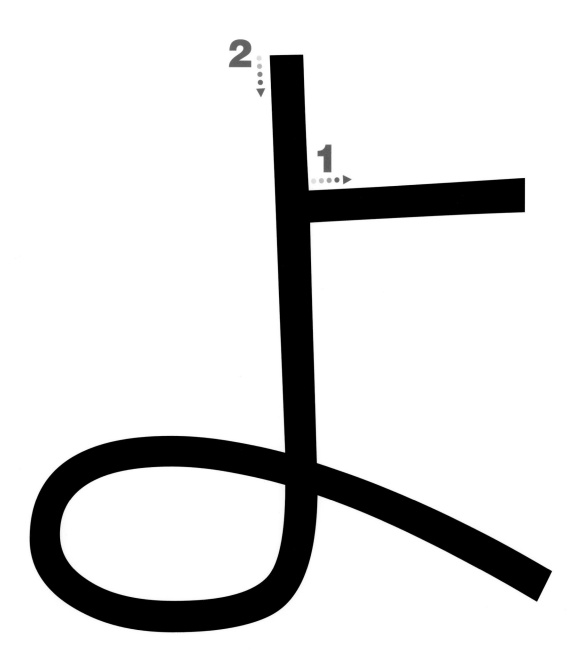

よくばり
[yokubari]
greediness
グリーディネス

よる
[yoru]
night
ナイト

[yo]
as in <u>yo</u>-<u>yo</u>, <u>yo</u>lk, <u>yo</u>gurt, <u>yo</u>del

よろい
[yoroi]
armor
アーマァ

ようちえん
[yōchien]
kindergarten
キンダガートン

ようじ
[yōji]
toothpick
トゥースピック

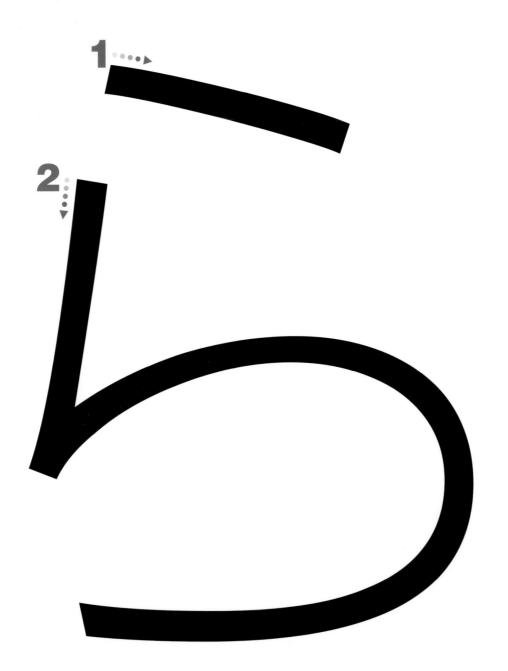

らっぱ
[rappa]
trumpet
トランペット

らくだ
[rakuda]
camel
キャメル

[ra]
closer to [la] as in l_ava
(with the tip of your tongue gently touching
the roof of your mouth just behind
your front teeth)

らーめん
[rāmen]
ramen
ラーメン

らっきょう
[rakkyō]
shallots
シャロッツ

らっかせい
[rakkasei]
peanuts
ピーナッツ

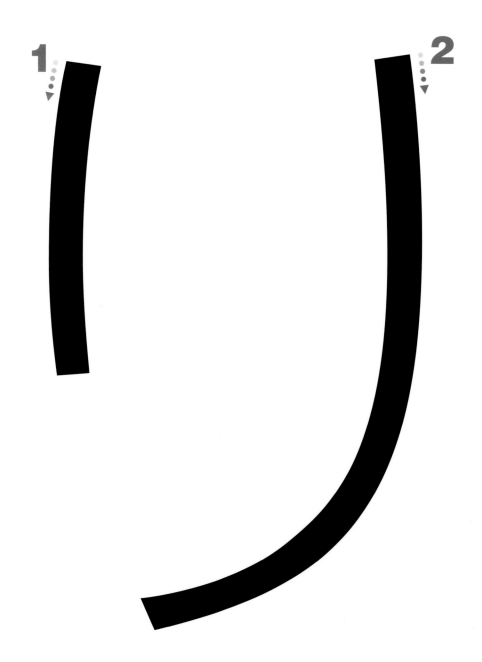

りぼん
[ribon]

ribbon
リボン

りす
[risu]

squirrel
スク**ワ**ーレル

りきし
[rikishi]

sumo wrestler
スーモウ レスラァ

[ri]
**closer to [li] as in <u>l</u>eaf,
li<u>l</u>y, <u>l</u>eash, sil<u>l</u>y**

りんご
[ringo]

apple
アプル

りゅう
[ryū]

dragon
ド**ラ**ゴン

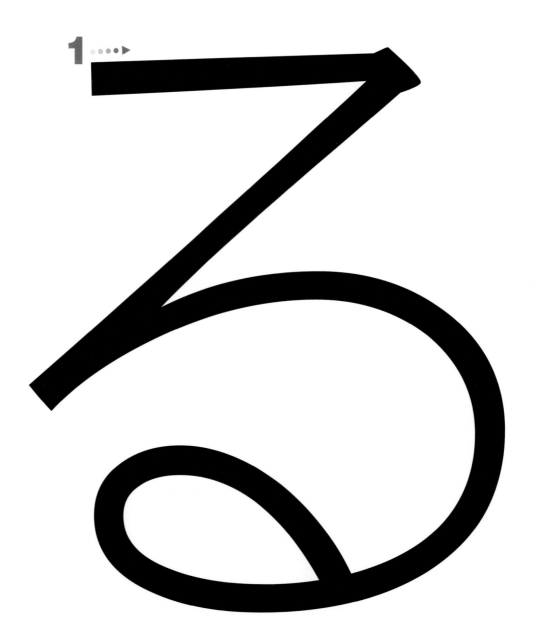

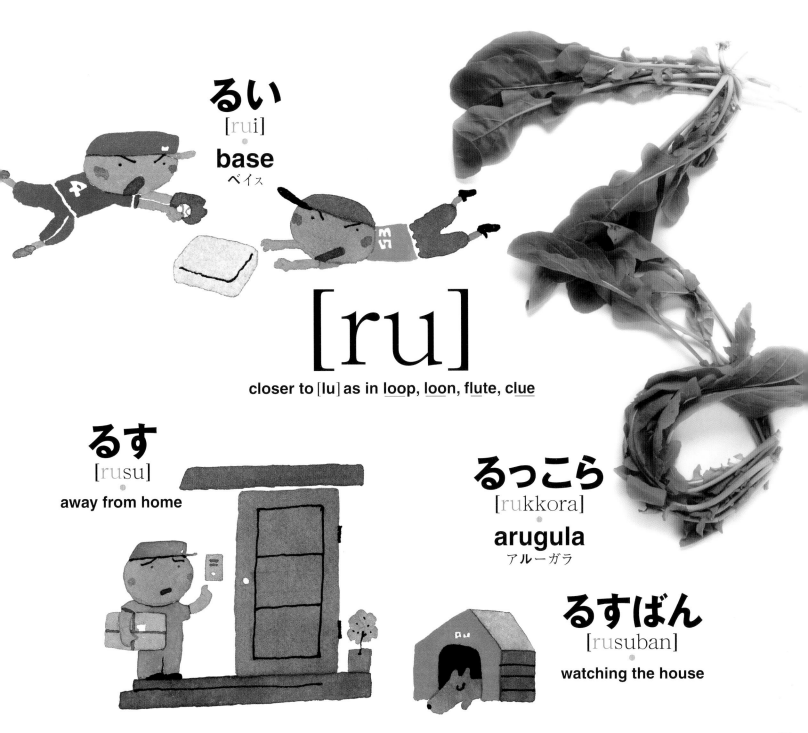

るい
[rui]

base
ベイス

[ru]

closer to [lu] as in loop, loon, flute, clue

るす
[rusu]

away from home

るっこら
[rukkora]

arugula
アルーガラ

るすばん
[rusuban]

watching the house

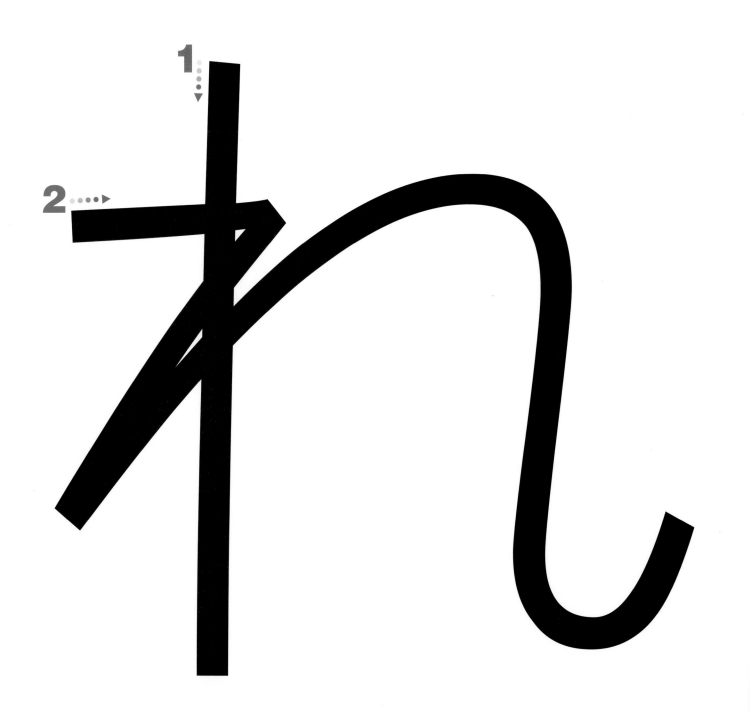

れんこん
[renkon]

lotus root
ロウタス ルート

[re]
closer to [le] as in leg, lesson, leopard

れいぞうこ
[reizōko]

refrigerator
リフリヂェレイタァ

れんしゅう
[renshū]

practice
プラクティス

れつ
[retsu]

line
ライン

れんが
[renga]

brick
ブリック

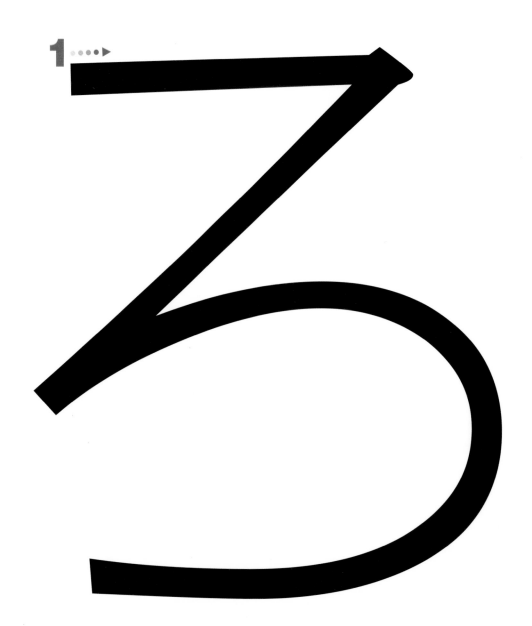

ろば
[roba]

donkey
ダンキィ

ろくおん
[rokuon]

recording
リコーディング

[ro]
closer to [lo] as in location

ろてん
[roten]

street stall
ストリート ストール

ろうそく
[rōsoku]

candle
キャンドル

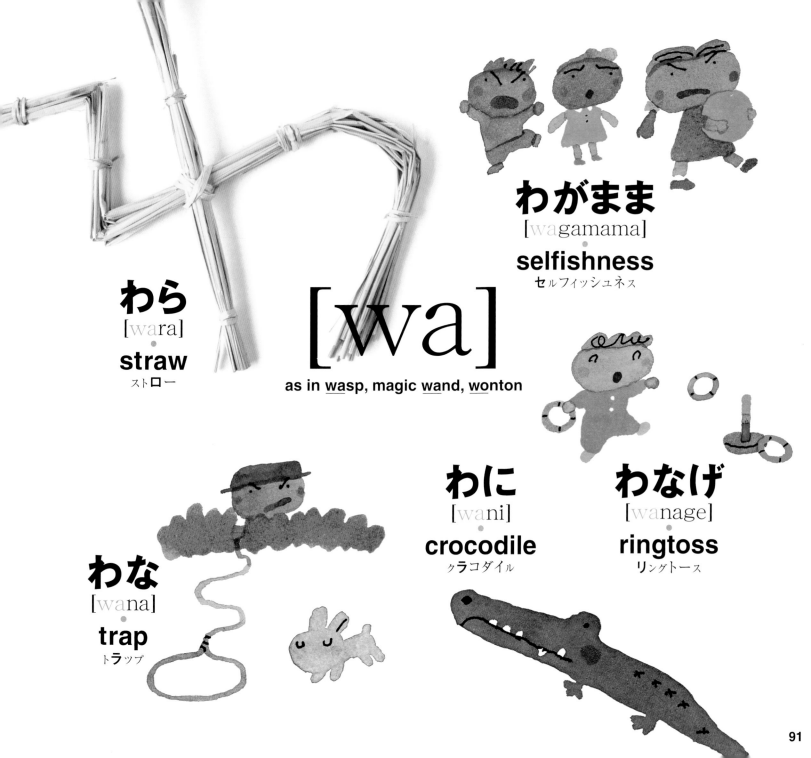

わら
[wara]
・
straw
ストロー

[wa]
as in <u>wa</u>sp, magic <u>wa</u>nd, <u>wo</u>nton

わがまま
[wagamama]
・
selfishness
セルフィッシュネス

わな
[wana]
・
trap
トラップ

わに
[wani]
・
crocodile
クラコダイル

わなげ
[wanage]
・
ringtoss
リングトース

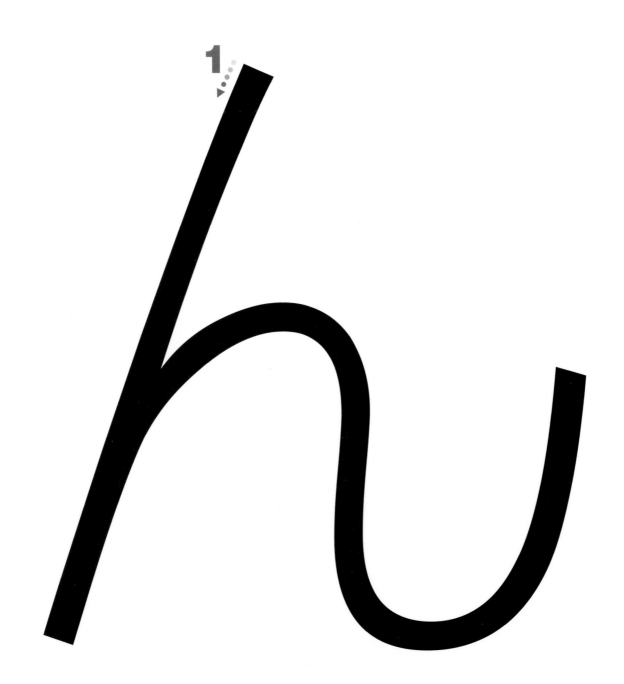

ねんど
[nendo]

clay
クレイ

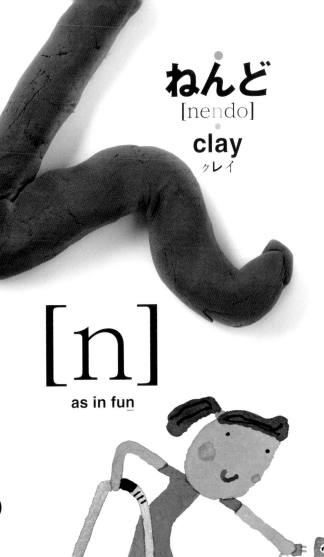

[n]
as in fun

かばん
[kaban]

bag
バッグ

せんせい
[sensei]

teacher
ティーチャ

かんづめ
[kanzume]

canned food
キャンド フード

でんき
[denki]

electricity
イレクトリスィティ

93

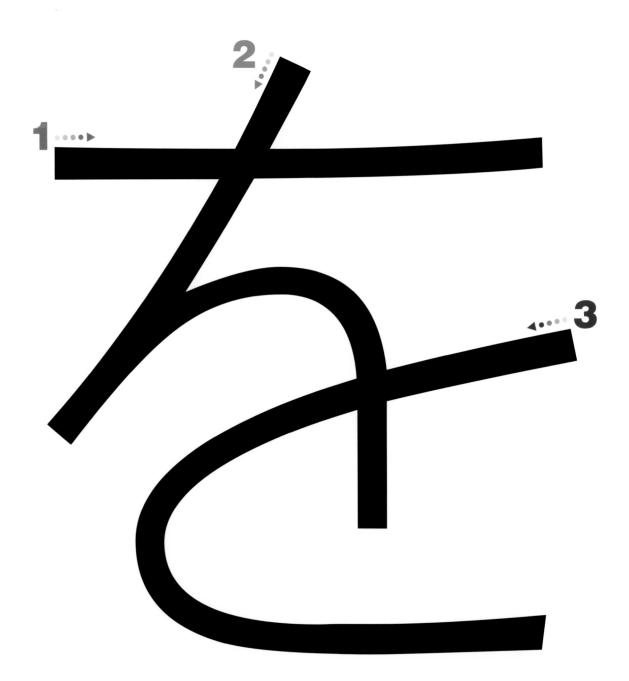

すてきな
ひらがな

ふろく

[SUTEKINA
HIRAGANA
appendixes]

● ひらがなの まとめ
Hiragana at a Glance

あ [a] か [ka] さ [sa] た [ta] な [na]

い [i] き [ki] し [shi] ち [chi] に [ni]

う [u] く [ku] す [su] つ [tsu] ぬ [nu]

え [e] け [ke] せ [se] て [te] ね [ne]

お [o] こ [ko] そ [so] と [to] の [no]

は [ha] ま [ma] や [ya] ら [ra] わ [wa]

ひ [hi] み [mi] り [ri] を [o]

ふ [fu] む [mu] ゆ [yu] る [ru] ん [n]

へ [he] め [me] れ [re]

ほ [ho] も [mo] よ [yo] ろ [ro]

●「゛」のついた ひらがな
Hiragana with (゛)

が
[ga]

が
[ga]
・
moth
モース

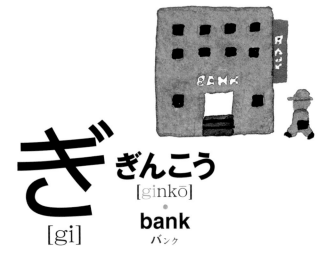

ぎ
[gi]

ぎんこう
[ginkō]
・
bank
バンク

ぐ
[gu]

ぐんかん
[gunkan]
・
warship
ウォーシップ

げ
[ge]

げき
[geki]
・
drama
ドラーマ

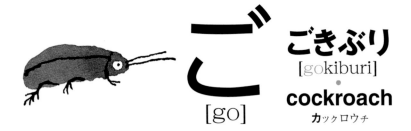

ご
[go]

ごきぶり
[gokiburi]
・
cockroach
カックロウチ

ざ
[za]

ざりがに
[zarigani]

crayfish
クレイフィッシュ

じ
[ji]

じどうしゃ
[jidōsha]

automobile
オートモビール

ず
[zu]

ずきん
[zukin]

hood
フッド

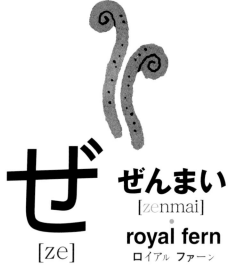

ぜ
[ze]

ぜんまい
[zenmai]

royal fern
ロイアル ファーン

ぞ
[zo]

ぞう
[zō]

elephant
エレファント

●「 ゛ 」のついた ひらがな
Hiragana with (゛)

だ
[da]

だちょう
[dachō]

ostrich
アストリッチ

ぢ
[ji]

ぢしん
[jishin]

earthquake
アースクウエイク

づ
[zu]

みかづき
[mikazuki]

crescent moon
クレセント ムーン

で
[de]

でんわ
[denwa]

telephone
テレフォウン

ど
[do]

どろぼう
[dorobō]

thief
スィーフ

ひらがなを全て表音文字とみなし、「地震」を「じしん」と書き表わす傾向が一般的にありますが、
本来ひらがなには表意文字としてのはたらきもあり、「地震」の「地」はあくまでも「ち」でありますから、
本書では敢えて「ぢしん」と表記しました。

ば
[ba]

ばった
[batta]
・
grasshopper
グラスハパァ

び
[bi]

びじん
[bijin]
・
beauty
ビューティ

ぶ
[bu]

ぶどう
[budō]
・
grapes
グレイプス

べ
[be]

べんきょう
[benkyō]
・
study
スタディ

ぼ
[bo]

ぼうし
[bōshi]
・
hat
ハット

ぱ
[pa]

ぱんつ
[pantsu]
•
underwear
アンダウェア

ぴ
[pi]

ぴんぽん
[pinpon]
•
ping-pong
ピングパング

ぷ
[pu]

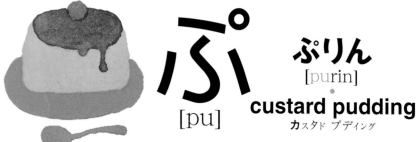

ぷりん
[purin]
•
custard pudding
カスタド プディング

ぺ
[pe]

ぺんき
[penki]
•
paint
ペイント

ぽ
[po]

ぽすと
[posuto]
•
mailbox
メイルバックス

● ちいさい 「っ」
The Small っ

きって
[kitte]

stamp
スタンプ

おっとせい
[ottosei]

fur seal
ファー スィール

にっき
[nikki]

diary
ダイアリィ

とって
[totte]

handle
ハンドル

● ちいさい 「や」「ゆ」「よ」
The Small や, ゆ, and よ

しゃちょう
[shachō]

president
プレズィデント

ちゅうしゃ
[chūsha]

shot
シャット

ぎゅうにゅう
[gyūnyū]

milk
ミルク

しょうぼうしゃ
[shōbōsha]

fire engine
ファイア エンヂン

● とくべつなつかいかたをする ひらがな
Hiragana with Special Usages

ん
[n]

単語の頭には使いません。
This character is never used at the beginning of a word.（See pp. 92–93.）

「にんげん」
"human"

を
[o]

「お」と同じ音ですが、ものの名前には使いません。
Sounds the same as お (pp. 12–13) but is not used to spell words.

「にんげん を みる」
というように使います。
"(The alien) looks at the human."

は
[wa]

「わ」と同じ音で
Sounds the same as わ (pp. 90–91) when used to make a sentence:

「にんげん は かわいい」
というように使います。
"The human is cute."

へ
[e]

「え」と同じ音で
Sounds the same as え (pp. 10–11) when used to mean "to" or "for."

「にんげん へ おくりもの」
というように使います。
"a gift for the human"

「ひらがな」を作った昔の人々はとてものんびりとした、とても豊かな人々だったのではないかしらと、ぼくは考えています。「ひらがな」を見たり読んだり書いたりしながら、つくづくそう思います。「ひらがな」はとてもおおらかで自由気ままです。規則性があまりないので、文字それぞれがとても個性的です。

　それはしかし、学習する身になってみれば少し問題です。その自由気ままさをそのまま受け入れるのは、なかなか難しい。誰かさんが気ままに口ずさんだ鼻歌を、正確に真似をするのと同じような難しさがあります。

　ですから「ひらがな」の学習は、まずその自由気ままさをまさに自由気ままに味わってもらうのがいちばんだ、とぼくは思い、その手助けになれるような本を、と考えてこの「すてきな ひらがな」を作ってみました。そして、制作の過程でぼくが味わった楽しさを、そのままみなさまに伝えることができたら、どんなにか幸せなことでしょう。

五味太郎

The people who invented hiragana long ago must have been a leisurely and spiritually rich people. Whenever I see hiragana, or whenever I read or write it, this is what I think. Hiragana characters are gentle and unrestrained, and each has its own whims. And because there aren't any strict standards to which they must conform, each has a personality all its own.

However, this absence of "strict standards" often causes trouble for learners of Japanese. It's difficult to follow a character's "whims." It's about as difficult as trying to precisely imitate someone else's humming.

I believe the best way to learn hiragana is to get to know the personalities and whims of the individual characters—to appreciate the rich variety of shapes and sizes they come in. I devised this book to help readers do just this. I hope my readers have as much fun with it as I have had in the process of creating it.

Gomi Taro

この本で主に使用しているひらがなは「はね」「とめ」「かえし」などを極力整理しています。
それは「読みやすく、憶えやすく、書きやすいひらがな」をという視点での、
五味太郎の提案によるものです。

カタカナによるアクセント表記は『講談社ハウディ英和辞典』に準拠しています。

すてきな ひらがな

2005年 7月29日　第 1 刷発行
2005年11月29日　第 3 刷発行

著者
五味太郎

写真
寺崎誠三

制作協力
中川敦子　亀山達矢 （tupera tupera）

編集協力
内海陽子

デザイン
ももはらるみこ　山口喜秀　青木正

発 行 者
富田 充

発 行 所
講談社インターナショナル株式会社
〒112-8652 東京都文京区音羽 1-17-14
電話　03-3944-6493 （編集部）　電話　03-3944-6492 （マーケティング部・業務部 ）
ホームページ　www.kodansha-intl.com

印刷・製本所
大日本印刷株式会社